趙孟頫送瑛公住持隆教寺疏·四清圖詩

彩色放大本中國著名碑帖

孫寶文 編

送瑛公住持隆教寺疏

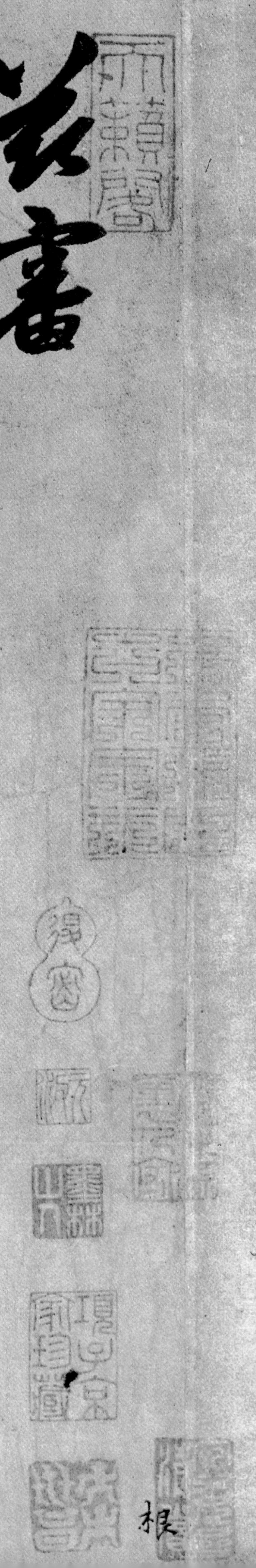

兹審石室書記瑛公住持昌國州隆教禪寺凡我與交同詞勸□

處西湖之上居多志同道合之朋歌白石之章遂有室迩

人遠之歎第恐大瀛之小刹難淹名世之俊流

石室長老禪師學識古今心忘物我江湖風雨飽飫

諸方五味禪棒喝雷霆顯揚聖諦第一義掃石门文

諸方五味禪棒喝雷霆顯揚聖諦第一義掃石门文

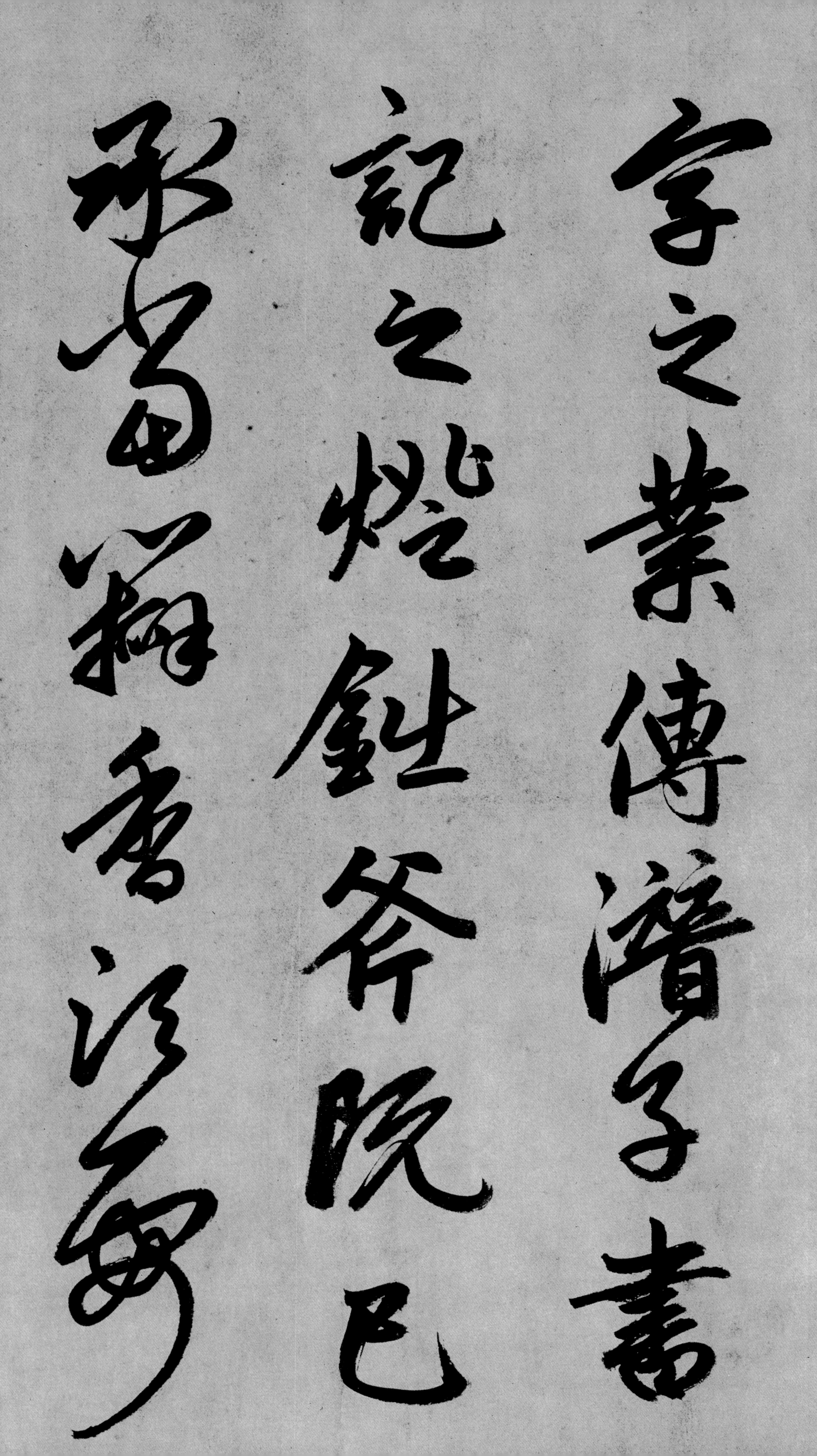

字之業傳潛子書記之燈鉏斧既已承當瓣香須要

着落望洋向若不難浮尊者之杯推波助瀾所當鼓

烝徒之檝即騰闊步少尉交情開法筵演海潮音龍

神拱聽向帝闕祝華封壽象教常隆

至治元年十二月　日䟽　松雪道人書

慈竹可以厚倫紀方竹可媿圓機士筆有筍

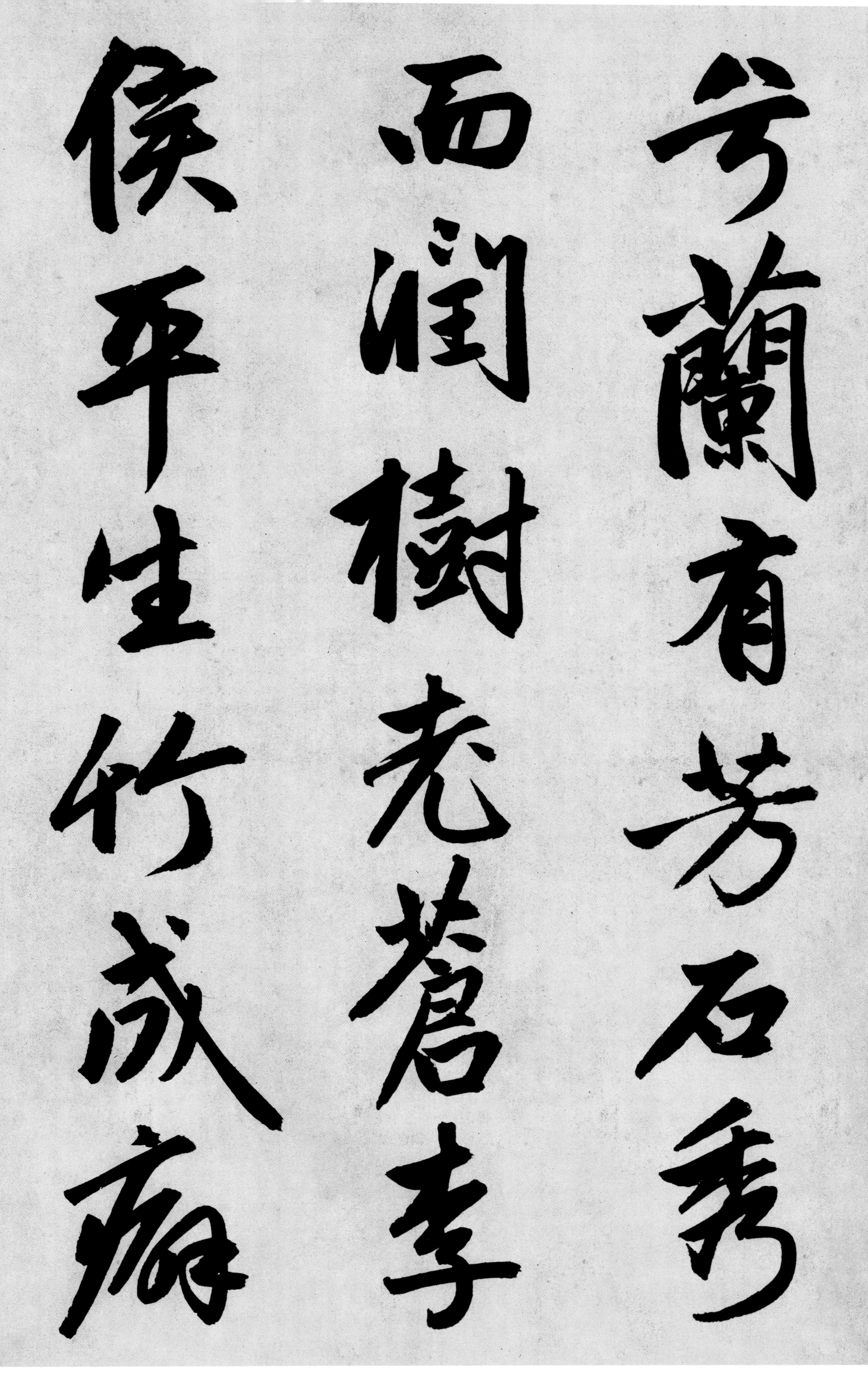

兮蘭有芳石秀而潤樹老蒼李侯平生竹成癖

渭川千畝在胸臆笑呼墨卿爲寫真与可復

渭川千畝在胸臆笑呼墨卿爲寫真与可復

生無以易吾祖愛竹世所聞敬之不名稱此君李

生無以易吾祖愛竹世所聞敬之不名稱此君李

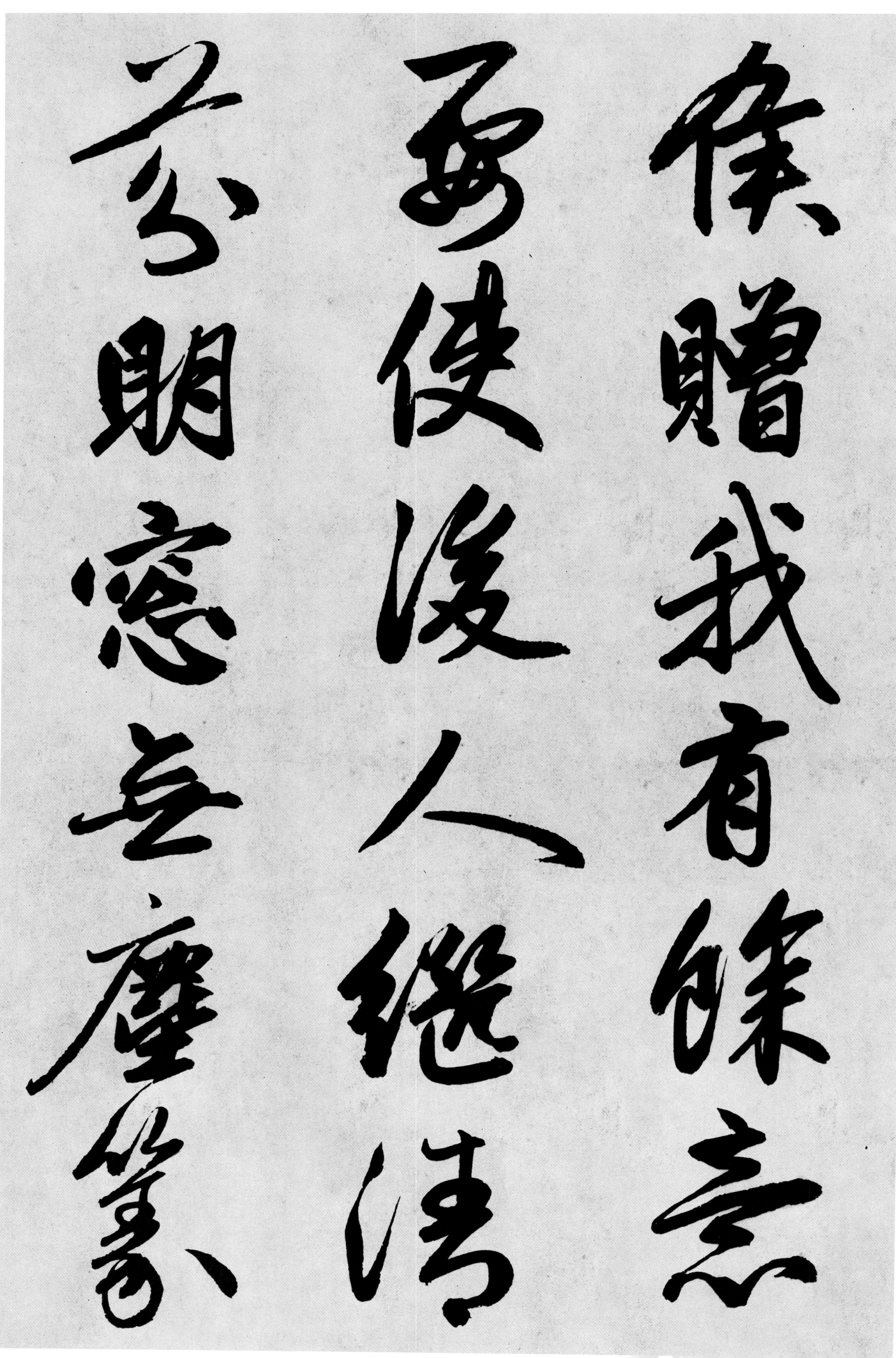

侯贈我有餘意要使後人繼清芬明窗無塵篆

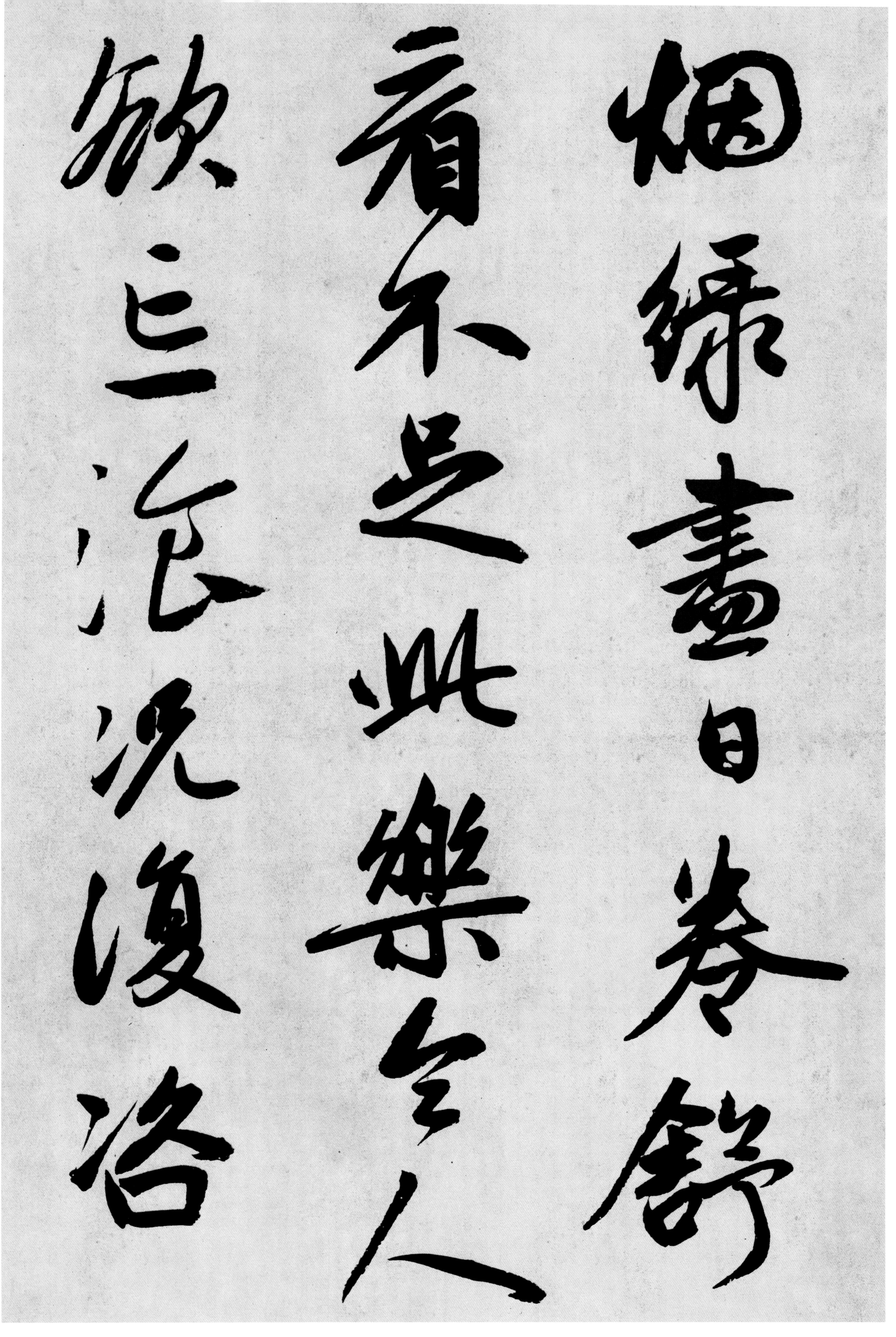

烟緑盡日卷舒看不足此樂令人欲忘滄况復洛

嗟苜蓿槃

仲賓爲玄卿作墨竹玄卿
詩以紀之余愛其蕭洒乃
爲書此詩於其後至大元年
仲春既望吳興趙孟頫書

嗟苜蓿槃　仲賓爲玄卿作墨竹玄卿詩以紀之余愛其蕭洒乃爲書此詩於其後至大元年仲春既望吳興趙孟頫書

茲審

石室書記撰公住持昌國

州隆教禪寺凡我與

交同詞勅、、

覆西湖之上居多

志同道合之朋歌白

石之章遂有室邇

人遠之歎第恐大

瀛之小剎難淹名

世之俊流

石室長老禪師

學淺古今心忘物

我江湖風雨飽飫

諸方五味禪棒喝

雷霆顯揚聖諦

第一義掃石门文

字之業傳潛子書

記之烂鉢斧既已

承當羅香泛舞

着落望洋向若

不難浮尊者之杯

推波助瀾亦當鼓

怒徒之檝即騰閣

步少慰交情鬧

法筵演海潮音龍

神拱聽向

帝闕祝華封壽象

教當隆

至治元年十二月 日疏

松雪道人書

山村逸民仇遠

山村逸民仇遠

北村老人湯 炳龍

巴西鄧 文原

發坰 長孺

吳興趙 孟頫

西秦張 楧

楚龔 璛

長沙馮 子振

燕山貫 雲石

吳張 淵

浦城章 越卿

玄覽道人王 壽衍

紫霞道士馮 臻

句曲道士張 嗣顯

慈竹可以厚
倫紀方竹可娛
圓機士筆有節
兮蘭有芳石秀
而潤樹老蒼李
侯平生竹成癖
渭川千畝在胸
臆矣毋墨卿
為寫真与可復
生無以易吾祖
愛竹世所訓教

之不名雖然李
侯贈我有餘意
勇使後人繼清
芬明窗無塵篆
烟綠晝日卷舒
看不足此樂令人
歎已況復洛
嗟首蓿縣

仲賓為玄卿作墨竹玄卿
詩以紀之余愛其蕭洒乃
為書此詩於其後至大元年
仲春既望吳興趙孟頫書